Universale Economica Feltrinelli

Antonio Tabucchi è nato nel 1943. I suoi libri di narrativa sono *Piazza d'Italia* (Milano 1975), *Il piccolo naviglio* (Milano 1978), *Il gioco del rovescio* (Milano 1981), *Donna di Porto Pim* (Palermo 1983), *Notturno indiano* (Palermo 1984), *I volatili del Beato Angelico* (Palermo 1987) e con questa casa editrice *Piccoli equivoci senza importanza* (1985), *Il filo dell'orizzonte* (1986), *Il gioco del rovescio* (1989), *Un baule pieno di gente* (1990), *L'angelo nero* (1991) e *Requiem* (1992). Ha curato l'edizione italiana di Fernando Pessoa (*Una sola moltitudine*, Adelphi, 2 voll., 1979-1984; *Il libro dell'inquietudine*, Feltrinelli 1987) sul quale ha anche scritto numerosi saggi critici, e le poesie di Carlos Drummond de Andrade (*Sentimento del mondo*, Einaudi 1987). Nel 1987 gli è stato attribuito in Francia il Premio "Médicis Étranger".

ANTONIO TABUCCHI
I DIALOGHI MANCATI

Il signor Pirandello è desiderato al telefono
Il tempo stringe

Feltrinelli

© Giangiacomo Feltrinelli Editore Milano
Prima edizione in "Impronte" settembre 1988
Prima edizione nell'"Universale Economica" febbraio 1993

ISBN 88-07-81234-7

IL SIGNOR PIRANDELLO È DESIDERATO
AL TELEFONO

Per Zé

Non risulta che Luigi Pirandello e Fernando Pessoa si siano conosciuti. Questi due grandi autori del Novecento, con una poetica simile sotto molti aspetti, non hanno mai avuto occasione di comunicare fra loro. Eppure l'opportunità ci sarebbe stata. Nel 1931 Pirandello si recò a Lisbona, dove restò per alcuni giorni, per assistere alla prima mondiale (in portoghese) del suo *Sogno... ma forse no*.

In una delle ultime lettere alla fidanzata Ophélia Queiroz, Pessoa manifesta il proposito di ricoverarsi, per un periodo di cura, in una clinica psichiatrica di Cascais. La motivazione che fornisce alla fidanzata è l'insonnia e il turbamento causati dalle "visite" dei suoi personaggi che ormai lo obbligano a scrivere in continuazione, svegliandolo nel cuore della notte. Non risulta comunque che egli si sia poi ricoverato in clinica.

a.t.

PERSONAGGI:
Un attore.
Un suonatore d'organetto.
Un coro.

LUOGO:
Un ospedale psichiatrico portoghese
nel 1935.

Una vasta stanza. A sinistra un lettino di ferro, due vasche da bagno smaltate, un tavolo e un armadietto di ferro smaltato. Pavimento a losanghe bianche e nere. Una porta e una finestra inferriate. Pareti bianche. A una parete, un telefono a cornetta. Sulla destra, a un livello del pavimento leggermente più basso, con due scalini che dividono la sala a metà, quattro file di sedie occupate da una ventina di figure maschili e femminili. La maggior parte sono dei manichini, ma ci sono anche cinque o sei persone che tuttavia mantengono una posizione di perfetta immobilità. Tutti, come dei pazienti di un manicomio, indossano una sorta di pigiama grigio.
Si apre la porta inferriata e entrano due uomini. Il primo è alto, vestito di scuro, papillon, occhialini rotondi, cappello e impermeabile. Porta sottobraccio un quadro che appoggia alla parete con la figura rivolta verso il muro.

Il secondo ha gli occhiali neri dei ciechi, un ba-
stoncino bianco e spinge un organetto di Barbe-
ria. Con il bastone tasta lo spazio circostante
finché non trova una sedia dove accomodarsi.
L'altro occupa il centro della sala, si toglie la ga-
bardine, poi il cappello facendo una riverenza alle
figure che occupano le sedie. Rivolto al suo pubblico:

ATTORE
Eccomi, sono Pessoa, o così
mi hanno detto di essere,
diciamo che sono un attore
e sono venuto per divertirvi,
oppure, se più vi piace,
sono Pessoa che finge di essere un attore
che stasera interpreta Fernando Pessoa.

CORO
Vogliamo il tuo nome, il tuo nome completo!

ATTORE
Fernando António Nogueira Pessoa,
nato a Lisbona nel Milleottocentottantotto,
il tredici di giugno, festa della città.

CORO
Non basta. Non basta.

ATTORE
Nacqui da un padre e da una madre
come tutta l'altra gente,
non ho mai avuto un'infanzia,
davanti a casa mia c'era un teatro
questo lo ricordo e posso testimoniarlo,
e io lo guardavo dalla finestra,
ma poi non c'è altro nella mia infanzia
perché io non ho voluto che ci fosse.
Peripezie
ne ho avute molte,
tutte dentro di me, beninteso,
ma le battaglie peggiori
e le grandi tempeste, voi lo sapete,
sono quelle che succedono
dentro la nostra testa; a volte
si scampa, più spesso si soccombe,
è per questo del resto
che anche voi siete qui.

(Pausa)

Non saprei dire esattamente
se si tratti di dramma o di commedia,
il mio autore su questo è reticente
e questa è la mia personale

tragedia:
che vivo entrambe le cose
come se fossero la stessa cosa,
che non è né una cosa né l'altra.
Il mio spettacolo sarà un fiasco,
di questo almeno sono sicuro.

(Pausa. Fra sé e sé:)

Mi piacerebbe telefonare a Pirandello,
nel Trentuno è venuto a Lisbona,
di persona
non ci siamo conosciuti
ma mi piacerebbe pensare che avvenne,
io non gli direi che sono un attore,
gli direi solo: buonasera
signor Pirandello,
le telefono perché ho l'anima in pena.

(Pausa)

Perché a lui interessano le anime in pena.
A lui, a me, e a gente come voi;
gli altri sono sani
e con le anime in pena si divertono.
Sono un attore, sono un poeta,
per questo costoro mi cercano, poi,
quando si stancano,
girano il mio interruttore
e vanno a dormire tranquilli.

(Si gira. In mezzo alle scapole ha una chiave come quella dei giocattoli, enorme.)

CORO
Viva, viva, un pupazzetto!
Poeta pupazzetto,
sei qui per farci ridere,
per rivelarci l'anima,
l'anima tua malata.

(Risate)

ATTORE
Sono un poeta,
sono un attore,
ma la mattina mi sveglio, mi vesto,
mi infilo le scarpe,
esco per la strada e sono come tutti,
e nella strada passano passanti,
e io li guardo, e sorrido perché passano,
e anch'io passo e nessuno mi nota.
Ma poi,
nella solitudine della mia stanza,
apro le botole dell'anima,
guardo nel buio dei sotterranei,
ci sono topi,
ruscelli di diamante,
bellezze, miasmi e rancori:
lo faccio per me, lo faccio per voi,

perché ci vuole qualcuno che guardi,
e questi sono i poeti,
che cercano le stelle in fondo ai pozzi.
A volte vedo figure,
ricordi, memorie vigliacche,
oppure i rimasugli
di ciò che avrei voluto essere e non fui,
appena lividi desideri
che galleggiano come bestie morte.
L'amore,
l'ho conosciuto anch'io.
Prese le forme di una ragazza,
era gentile, ridente, appassionata,
con gli occhi birichini da quanto erano ingenui.
Anche lei credette di amarmi,
e ci davamo degli appuntamenti.
Erano sempre dei luoghi in alto,
sui belvedere di questa città;
e intanto scendeva la sera
e noi
stavamo appoggiati ai parapetti
congetturando la vita che non avremmo avuto.

CORO
Ah, l'amore! Spiegaci l'amore, poeta,
ti hanno mandato anche per questo!

ATTORE
Potrei dirvi che è l'essenziale,
e che il sesso è solo un accidente,
può essere uguale o differente,
l'uomo non è un animale,
è una carne intelligente,
solo che a volte malata.
Ma anche così
non avrei spiegato l'amore,
vi direi solo dei versi
del poeta che sto interpretando,
di colui che fingo d'essere stasera,
perché questa è la mia parte,
di fare un poeta.
No... se vi dovessi parlare
come io sono davvero,
come quest'uomo che non conoscete
e che si nasconde sotto questo costume,
allora vi direi che l'amore...
l'amore è come un sogno da svegli,
è un volere soltanto, senza sapere
che cosa, è un riflesso lontano,
un riflesso senza figura,
e quando ci si avvicina resta
l'immagine appena,
come una fotografia incorniciata.

(Prende il quadro che aveva appoggiato al muro e
lo mostra al pubblico. È la fotografia ingrandita di

una ragazza rinchiusa in un ovale. Regge il quadro fra le braccia come se tenesse una donna per un ballo. Il cieco comincia a suonare l'organetto; una musica popolare, un valzer in fa. La musica si spegne. L'attore si rivolge al ritratto:)

Ma perché
mi hanno mandato qui stasera,
mia piccola Ofelia,
per fingere che ti amai
e per ballare col tuo ricordo?
Io dovrei essere con te
per le strade di una città esistente,
vivere in verità questo momento,
col tuo te che tu sei, di carne, viva,
stringerti fra le braccia come creatura,
col suo cuore
che batte dentro il petto,
e con le vene, e il sangue, e il corpo,
il corpo...

(La musica tace. Lui appende il quadro a un chiodo della porta. Rivolto al suo pubblico:)

Il corpo, questo stupido involucro
che avvolge il nostro quasi-niente:
sogni, estasi, nuvole,
paure principalmente.
E poi, il silenzio notturno, la risata
dell'idiota in fondo al buio, l'ombra

che ci spia al varco e il gelo eterno
più di noi demente.

(Fa un gesto esageratamente teatrale, allargando
le braccia come se comprendesse tutto il suo pubblico in un immaginario abbraccio. Con tono ma-
gniloquente e retorico:)

Fratelli! Vorrei chiamarvi fratelli...

(Cambia tono)

Ma cosa mi lega a voi
se non la venale finzione di essere qui
a pagamento, a fingere
di avere emozioni per il vostro diletto?
Fingere, sempre fingere,
così è stata tutta la mia vita,
ed era quasi bello se ci credevo davvero.

(Si sfila la giacca, ne toglie la grossa chiave da gio-
cattolo e la posa sul tavolo. Si rimette la giacca. A
voce più bassa, quasi in tono ironico:)

Geniale quest'idea
di farmi indossare questo costume,
come se un attore dovesse
fingere i suoi sentimenti, come se non potesse
provarli davvero dentro di sé,
come tutti gli altri uomini.

(Pausa)

Una volta, a Glasgow,
interpretai un giovane artista che s'innamorava
dell'arte. Se sapeste
com'ero bello, e giovane, e vero,
e quella sera piansi di emozione estetica
nel sentire ciò che recitavo,
così che anche il pubblico
piangeva, oh, era un piagnisteo
generale, sulla bellezza
e generi affini, e un'altra volta,
nel canale di Suez,
a bordo di un transatlantico,
beh, non vi sto a raccontare,
ma era un pubblico sceltissimo,
gli uomini in smoking e le signore in lungo,
e insomma, sul ponte,
champagne a torrenti dopo la mia recita,
e la luna così arancione
che sembrava far parte della scena...

(Pausa)

Per il resto, dopo,
pomeriggi in latteria a pensare all'infinito,
e il ciabattare nel corridoio
della mia stanza d'affitto.
Ho fatto tutte le parti,
il vigliacco,
il ladro,

la puttana,
fino a toccare il fondo
con questo contratto, una recita in manicomio
per pronunciare un monologo sconnesso
e fingere che sono sublime.
Ma la pazzia...
anche questa si impara.
Ci vuole pazienza, elaborazione,
un minimo d'ironia per ridere
di me, di voi e dell'impresario
che mi ha mandato qui.

(Pausa)

Impresario, figurarsi, quel tipo...
ha sempre navigato in varietà,
avanspettacoli e rivistacce, roba
con battute pesanti,
pubblico di marinai nella città bassa,
e ora ha messo in piedi questo intermezzo
vendendolo al vostro direttore,
dicendo che parlare di follia sarebbe
terapeutico, dunque se mi state a sentire
stasera dormirete più tranquilli,
e il vostro direttore c'è cascato,
bisogna capirlo,
è un'anima semplice.

CORO
La quiete! La quiete! Stanotte
dormiremo tranquilli!

ATTORE (Ironico)
Voi siete come le foglie
degli alberi
che la brezza più lieve fa tremare,
appesi al filo del vostro attuale,
senza misura del tempo,
non c'è quiete per voi,
uomini oscurati a tratti
illuminati da lampi brevi,
le vostre miserabili estasi
non prevedono nessuna quiete.
Orgasmi,
furori,
melancolie,
e io che dovrei farvi ridere?!
Volete ridere? Lo farò, basta solo che mi mascheri,
se questo vi fa ridere.

(Apre l'armadio di metallo, prende un cappello
bianco da donna e una stola di volpe e li indossa.
Raccoglie le braccia come se sostenesse un bambino piccolo e fa il gesto di cullarlo)

Sono mia madre,
e mi tengo in collo.

(Il cieco comincia a suonare l'organetto)

Come mi amo,
in quanto mia madre.
Sono una madre dolce
che trabocco d'affetto
per il suo piccolo figlio.
Dolce, gentile, pronta a consolare...
Dormi, bambino, dormi,
passa la tua vita a sognare!

(Pausa)

E invece no!
Insonnie,
lunghe notti alla finestra, spiando l'alba
che sorga, che venga finalmente
ad alleviare il peso di questo stare vivo.

(Rimette a posto il cappello e la stola)

Veramente
queste mascherate non fanno più ridere nessuno.
Sono solo vecchi trucchi
patetici
di un vecchio attore
patetico
con un repertorio consunto, quattro smorfie
e una lacrima da Pierrot.

CORO
Allora vogliamo le lacrime, le lacrime
del Pierrot!

ATTORE
Se almeno piangessi davvero,
se perfino singhiozzassi
abbracciato a me stesso, senza pudore,
libero di piangere
un pianto che non è sul copione.
Ma tutto è già stato scritto:
amore,
rimpianti
e lacrime,
sono solo un povero attore,
il mio destino è segnato.

(Pausa)

Vorrei telefonare a Pirandello,
forse lui saprebbe aiutarmi
a uscire da questa situazione
lui ci sa fare coi personaggi
che si trovano intrappolati, schiavi
di un ruolo e di una maschera.

(Si siede al tavolino, girando la schiena al suo pubblico con la testa appoggiata fra le mani. Si riscuo-
te. Si alza)

Ma poi non è detto, perché tutto
si può ancora cambiare.
Visto che faccio un poeta
voglio recitare a soggetto, rifare me stesso
come meglio mi piace.

CORO
Sii poeta, poeta! Raccontaci la poesia.

ATTORE
Ma dov'è la poesia?
Nei sassi, nell'erba, nei cuori?
La cerco in ciò che è,
anche nella materia, ed essa è sorda
opaca... indifferente.

(Pausa. Con tono molto ironico)

Ah, la poesia che consola
del non sapere niente!,
economica illusione
di me, di voi, della luna.
Credere di sentire che ciò che si sente
esiste,
che ha una sua verità, un suo posto nell'essere.
Mi affaccio alla finestra,
c'è la città...
e il mondo.
Ma non sentite il rumore?
Sono i cannoni che brontolano,

la distruzione, la morte
che sopra di noi incombono,
volute dagli uomini savi.
Non sanno che il mondo è mondo
per essere dubitato, essi credono, battagliano,
e per questo anche noi moriremo.

(Pausa. Molto basso)

Oppure...
moriremo di altra morte.
Sarà più paziente, e felpata,
non c'è niente che ci difenda
dalla dispersione nell'eterno...
Vagheremo come un pulviscolo
nel vuoto di questo universo,
neppure coscienza infima
di ciò che non siamo stati...

(Pausa)

E in questo ipotetico stadio che si chiama
Frattempo
cerchiamo la poesia...

(Pausa)

Sarà questo la poesia?,
vivere il nostro Frattempo?
Questo intermezzo che io recito stasera
solo perché voi mi tollerate
e non avete nient'altro da fare.

Sta racchiuso, questo intermezzo,
nella vera commedia che ogni giorno recitiamo,
recitate,
e che ci aspetta non appena
saremo usciti da questa stanza.

(Va all'armadio, prende l'impermeabile e il cappello, si dirige verso la porta)

CORO
Fermati, attore,
l'intermezzo non è finito!

(L'attore si ferma, si gira)

ATTORE
Volete forse credere in me?
O volete credere a questo?
Questa stupida illusione
è stata pagata quattro soldi,
non c'è nessuna verità
in questo stupido intermezzo.
Se faccio finta di recitare a soggetto
è solo perché non ricordo il copione.

(Pausa)

Il copione...
Se mai c'è stato un copione.
Mi hanno consegnato pochi fogli gualciti,

pieni d'errori di battitura,
non so neppure chi è l'autore, erano pagine anonime,
anonime come me,
che sono solo l'attore.
E questo basta, è il mio nome, visto
che non sono nessuno.

(Pausa)

Nessuno, eppure troppi.
E anche questo è stato il mio modo
di vivere la mia vita:
vivere tante vite, le più vite possibili,
perché la più nobile aspirazione
è di non essere noi stessi,
o meglio,
è esserlo essendo altri,
vivere in modo plurale,
com'è plurale l'universo.

(Si alza un personaggio del coro. Con furia:)

PERSONAGGIO
Per questo ci hanno rinchiusi,
perché ci siamo dispersi, e tu stasera
sei stato mandato per aiutarci.

CORO
E tu stasera
sei stato mandato per aiutarci.

ATTORE (Smarrito)
Io?
Quest'uomo meschino
che finge per pochi denari,
con un guardaroba logoro
e un compare così malridotto
che non è capace neppure di suonare una pianola?

(Il cieco ricomincia a suonare l'organetto)

Se sapeste come eravamo, all'auge della nostra
carriera,
eravamo una coppia affiatata,
che dico? una coppia perfetta.
Su tutti i cartelloni i nostri nomi
erano a lettere cubitali.
Eravamo il Duo...

(Pausa)

Il Duo... accidenti, non mi ricordo,
ma tanto non è che conti... insomma,
un duo qualsiasi, con un nome da duo,
una cosa tipo Tizio e Caio.
Tizio ero io, naturalmente, perché
ero l'attore principale, e Caio mi faceva da spalla,
con questo non voglio dire che non avesse talento,
non sarei giusto, davvero,
a volte a fare da spalla
ci vuole un talento sottile.

Era un numero straordinario,
una cosa davvero impareggiabile,
una scenetta lampo,
ma non c'era platea che resistesse.

(Rivolto al suo compare)

Ti ricordi il nostro numero,
il cavallo di battaglia?

(Il cieco comincia a suonare l'organetto)

ATTORE (Irritato)
Smetti di suonare, cretino,
mi riferivo al nostro vecchio numero,
vieni qui che lo ripetiamo.

(Va dal compare, lo prende per mano, lo trascina
in mezzo alla scena. Il compare resta immobile.
L'attore gli gira intorno, lo sistema, gli fa stendere
le braccia in avanti, gli raddrizza le spalle.)

Dunque... tu facevi... ti ricordi?,
facevi il cieco anche allora,
e io facevo il sordo, mi pare,
proprio due tipi comici,
che camminavano lungo un abisso.

(Rivolto al suo compare)

Era così... ti ricordi?, qual era la mia battuta?

(Pausa)

Senti, lasciamo perdere,
lo so che lo fai apposta, hai una memoria
migliore della mia,
ma non dici niente per vendetta,
perché ormai ti fanno fare il cieco. Del resto
è l'unica parte che conosci,
è inutile che tu faccia il risentito.

(Lo riporta verso la sua sedia)

Lo so che sei geloso di me
perché mi danno le parti principali,
ma almeno potresti pensare
a quello che faccio per te. Ti vesto,
ti lavo, ti guido, ti porto a spasso,
ti descrivo il mondo,
sopporto la tua musica ogni sera,
senza di me tu non saresti niente,
staresti sull'angolo di una strada
a stendere la mano ai passanti.

(Pausa)

E poi... ti pare da invidiare la mia parte?

(Pausa)

Vorrei telefonare a Pirandello
nel Trentuno è venuto a Lisbona
per assistere alla prima del suo *Sogno... ma forse no*.
Di persona non ci siamo conosciuti,

ma mi piacerebbe pensare
che avvenne
e certamente piacerebbe anche a lui.

(Pausa. Si gira verso il compare. Dandosi un colpo
sulla fronte.)

Ma certo che ricordo, facevi la bambina!

(Pausa)

La mia povera bambina, cieca dalla nascita...

(Va all'armadio, tira fuori una valigia e comincia a
rovistarci dentro. Mentre cerca, parla al compare
con un tono familiare.)

Stasera mi andrebbe di mangiare trippa,
una bella trippa alla parmigiana,
con un sughetto come intendo io.
È un secolo che non mangio trippa,
ti ricordi quel ristorante, anni fa,
la trippa che faceva? Fu durante
una tournée, la città non me la ricordo,
ma il posto... aveva un nome sublime,
si chiamava... Il Trippetta.

(Ride)

Il Trippetta. E io dissi: va proprio a pennello
per uno come me, con le trippe sempre sguarnite.

(Pausa)

Ma anche tu non è che scherzassi,
sei sempre stato pelle e ossa.

(Trova nella valigia una cuffia da bambina e un
grembiule. Li fa indossare al cieco e lo trascina di
nuovo in mezzo alla scena. Il cieco gli fa delle boc-
cacce e tira fuori la lingua in segno di scherno.)

Brutta maleducata, ti darei uno schiaffone,
se tu non fossi cieca!

(Pausa)

Ma non è questa, la battuta che cercavo.
Era un'altra, ma valla a ricordare...
si tratta di trent'anni fa.
Trenta, quaranta, cinquanta...
Un secolo, direi, mi sembra un secolo,
e poi, comunque, questa faccenda non c'entra
con lo spettacolo di stasera.

(Riporta il compare al suo posto, lasciandogli cuffia e grembiule. Pausa.)

Vorrei telefonare a Pirandello
nel Trentuno è venuto a Lisbona
per assistere alla prima del suo *Sogno... ma forse no.*
Di persona non ci siamo conosciuti,
ma mi piacerebbe pensare
che avvenne,
e certamente piacerebbe anche a lui.

Ci saremmo incontrati in un caffè,
per esempio il Martinho da Arcada,
e ci saremmo raccontati delle storie
inventate l'uno per l'altro,
una sorta di omaggio aereo,
fatto soltanto di parole,
perché per cose come queste
non c'è posto nella scrittura.
Sono certo che lo troverei ad Agrigento,
in questa torrida serata estiva,
è sul terrazzo di casa sua che beve una
                                    granita al caffè.
Mi risponderebbe la governante,
anche lui ne avrà pure una,
una vecchissima donna un po' selvatica
che deve avergli voluto bene da bambino.
Andrebbe a chiamarlo in terrazza,
l'aria deve profumare di limoni,
gli direbbe: signorino Luigi,
una telefonata per lei.

(Pausa)

Che cosa gli direi... vediamo un po'...
beh, potrei dirgli...
potrei dirgli, per cominciare,
che negli ultimi tempi mi succede spesso,
ma non sempre, solo in alcune stagioni,
per esempio lo scorso autunno.

Allora il giallo attuale delle foglie
mi sembra che tracci nell'aria un'equazione,
diciamo qualcosa di perfetto e di eterno,
come il binomio di Newton,
ma di un'eternità istantanea,
concreta e vegetale.

(Pausa)

Sono sicuro che farebbe un certo colpo,
perché è proprio una faccenda intellettuale...
e a questo punto direi ancora
che raccolgo una foglia caduta nel giardino
di S. Pedro de Alcântara e me la infilo in tasca
come se riponessi... vediamo...
lo so che può sembrare strano...
l'essenza morta delle matematiche.
E poi prendo il tram che scende allo Chiado,
e mi fermo alla piccola osteria
dove con un calice di grappa
appare l'equilibrio formale
della Venere di Milo, in equilibrio sulle botti.
Ah, caro Pirandello, gli direi,
vivere: che equilibrio!
E che stanchezza.
Anche le cose, certo, devono sentire la stessa
                                        stanchezza.
E forse la voglia di un perdono,
di un manto umido e notturno

che assolva gli enti vestiti che si incrociano.
E anche i cani,
che anche loro esistono.
E poi direi che non dormo, che dormo male,
con incubi:
quell'orecchio di un Maestro sconosciuto
che sta dentro di me e mi ascolta.
Insomma, una cosa così, tanto per cominciare.
Ma prima lui direbbe...

(Pausa)

Lo sapete che cosa direbbe?

CORO
Pronto, parla Luigi Pirandello.

ATTORE
E io non direi che sono un attore,
l'attore mancato di una sua commedia.
Perché raccontargli i miei problemi,
dirgli che sono un attore sconosciuto
che avrebbe voluto interpretare un suo dramma
e che invece ha fatto solo "vaudevilles"
o poveri spettacoli da fiera?

(Pausa)

No, gli direi un'altra cosa, direi:
buonasera Pirandello, sono Fernando Pessoa.

Molto piacere di sentirla, direbbe Pirandello.

CORO
Molto piacere di sentirla, direbbe Pirandello.

ATTORE
La chiamo dal manicomio di Cascais, direi. E lui:
a cosa devo il piacere della sua telefonata?

CORO
A cosa devo il piacere della sua telefonata?

ATTORE
Avevo voglia di parlare con lei, è l'ultima estate
della mia vita.
Come lo sa?, mi chiederebbe Pirandello.

CORO
Come lo sa, mi chiederebbe Pirandello.

ATTORE
Ho fatto il mio oroscopo.

(Pausa)

Io invece morirò nel Trentasei, risponderebbe
                                    Pirandello.

CORO

Io invece morirò nel Trentasei, risponderebbe
Pirandello.

ATTORE (Facendo un gesto per far tacere il coro)
E io gli direi che lo so chi glielo ha detto,
che è stata Madama Pace, perché ogni domenica mattina
lui riceve i suoi personaggi.
E poi gli direi che io comincio a essere dappertutto,
che è una strana sensazione e non so
se è il prologo della morte
o di un'altra specie di vita, e gli direi che forse
anche a lui succede lo stesso.

CORO

Succede anche a me, in effetti,
direbbe Pirandello.

ATTORE

Sì, lo sapevo che succede anche a lui,
ne ero certo. Perché
non entrano tante anime in un solo corpo.
E i personaggi sono impazienti,
si affollano alla nostra porta,
esigono spiegazioni. E gli direi anche
che a volte sono io che incalzo i miei personaggi,
li tiro per la giacca

per obbligarli a girarsi, per sapere
chi sono.

(Si guarda intorno smarrito. Si porta un dito sulle
labbra.)

Silenzio! Non sentite anche voi?
C'è un'interferenza, un segnale.
Qualcuno ci sta avvertendo
che la comunicazione sta per cadere.

(In quel momento il telefono suona. L'attore si im-
mobilizza. Il telefono squilla ancora per due volte.
Con aria ansiosa, l'attore si precipita al telefono.)

Pronto, sono Fernando Pessoa.

(Tace, ascoltando quello che gli viene detto nella
cornetta)

Va bene, signor direttore, lo so che dobbiamo
                                    andar via,
ma mi lasci almeno il tempo
di finire come si deve.

(Riattacca la cornetta del telefono. Rivolto al suo
pubblico, e facendo un gesto che si riferisce all'in-
visibile direttore.)

Diciamo come mi pare.
O pretende di insegnarmi il mio mestiere?
Di commedie ne ho fatte tante,

e lo so io come sono i finali.
Vogliono spegnere le luci senza lasciarmi neppure
il tempo di dire a Pirandello
che lo spettacolo sta per finire.

(Fra sé e sé)

Lo spettacolo sta per finire...
Sarei costretto a dirgli così:
mio caro Pirandello, lo spettacolo
sta per finire...
e allora gli direi: addio.

(Alzando una mano in cenno di saluto)

Addio, caro Pirandello, ci vedremo
certamente *dopo*.

CORO
Arrivederci, caro Pessoa,
ci vedremo certamente dopo.

(Più piano)
Arrivederci, caro Pessoa,
ci vedremo certamente dopo.

(Un sussurro)
Arrivederci, caro Pessoa,
ci vedremo certamente dopo.

(Il cieco comincia a suonare l'organetto. Le luci si
spengono.)

IL TEMPO STRINGE

Stanza d'ospedale. In un letto di tipo ortopedico giace un corpo avvolto da bende dalla testa ai piedi, come una mummia. L'unica parte scoperta è la bocca, che è aperta. Un braccio ingessato è sostenuto, con il gomito sollevato ad angolo acuto, da un bilanciere. Una gamba, anch'essa ingessata, è appoggiata al trapezio di acciaio di un bilanciere, con i pesi di trazione ortopedici. Accanto a lui c'è una suora, che tenta di sfilare i ganci dei bilancieri senza riuscirci. Allora cerca di aggiustare il corpo. Gli congiunge le mani sul petto e cerca di stringergli il mento per fargli chiudere la bocca. Si spalanca la porta ed entra un uomo. È un uomo sui quarant'anni, abito grigio un po' spiegazzato, porta una valigia.

UOMO
No, così no!

SUORA
Lei chi è?

UOMO
Sono un familiare.

SUORA
È spirato dieci minuti fa, ero presente.

UOMO
Dieci minuti fa?

SUORA
Ma lei chi è, scusi?

UOMO
Sono il fratello.

SUORA
Il signor Enrico?

UOMO
Come fa a sapere il mio nome?

SUORA
Suo fratello ha pronunciato il suo nome, prima di
spirare. Sono state le sue ultime parole.

UOMO
Il mio nome?

SUORA
Se lei si chiama Enrico...

UOMO
Mi chiamo Enrico.

SUORA
Ha detto: Enrico, mio fratello Enrico. E poi è morto.

UOMO
Ma ne è proprio sicura?

SUORA
Scusi, perché non dovrei? Non posso mica essermi inventata il suo nome.

UOMO
Oh... allora... beh, non lo metto in dubbio. (Pausa) Ma quando è successo?

SUORA
Ieri alle quattordici. È arrivato con gravi lesioni alla testa, aveva anche delle emorragie interne, ma non è morto per questo, sono state le ustioni. Ave-

va ustioni di terzo grado su tutto il corpo. (Pausa)
Ma non glielo hanno detto, non l'hanno avvisata?

UOMO
Non sapevo niente.

SUORA (Allarmata per la situazione)
Oh, mio Dio!... E allora come fa a essere qui?

UOMO
Venivo a trovarlo, ero in viaggio. Ho fatto un viaggio molto lungo. (Pausa) Io abito molto lontano. (Pausa) Sono arrivato a casa sua e la portiera mi ha detto: suo fratello è all'ospedale centrale, sarà meglio che corra. (Pausa) Non ci vedevamo da molti anni.

SUORA
Sto facendo allestire la camera ardente, dobbiamo trasferire la salma, questa stanza deve essere liberata per stasera. (Pausa) Desidera scendere con me?

UOMO
No, vorrei restare solo con mio fratello.

SUORA
Forse è meglio che venga un'infermiera a tenerle compagnia.

UOMO

No, vorrei restare solo con mio fratello.

(La suora esce e chiude la porta. L'uomo posa la valigia per terra. Ci si siede sopra. Poi si alza e va ai piedi del letto.)

Questa poi!

(Pausa)

Eh no, non può finire così!

(Pausa)

Ne convieni che non può finire così?

(Pausa)

E ora come faccio?

(Comincia a passeggiare per la stanza)

Dimmelo tu, come faccio.

(Pausa)

Dimmelo tu, come faccio.

(Si siede su una poltroncina che è in fondo alla camera e accende una sigaretta)

Lo so che è vietato fumare, ma ho bisogno di una sigaretta.

(Pausa. Comincia a fumare, con il viso appoggiato a una mano.)

Dimmelo tu, come faccio.

(Pausa)

Non sai cosa rispondere?

(Pausa)

Non fare la carogna.

(Sorride come se pensasse a quello che ha detto)

Sì, carogna mi pare un termine appropriato.

(Ride brevemente. Pausa. Riprende con foga.)

Non sai cosa rispondere, carogna?!

(Balza in piedi)

E allora te lo dico io cosa devi rispondere, stammi bene a sentire, e per favore non avere riguardi, assumi pure la tua aria arrogante, la tua aria da eterno saputone, da cacasenno, abbi il coraggio di riprendere il tuo tono di voce, quella tua bella voce altera e sprezzante che ti piaceva tanto assumere in certi momenti, la tua classica voce odiosa, ecco, così (con voce odiosa e altera): mi spiace, fu colpa tua, Enrichetto.

(Fa un balzo all'indietro, si porta le mani al petto dando un urlo)

Mia?! Fu colpa mia??!!

(Pestando i piedi)

E non mi chiamare Enrichetto!, non tollero che tu mi chiami Enrichetto!

(Con voce bassa, furibonda)

Mi hai sempre chiamato Enrichetto, anche davanti a papà mi chiamavi Enrichetto. E lui sorrideva sotto i baffi, cosa ti credi, che non me ne accorgessi? Eh no, io me ne accorgevo, altro che se me ne accorgevo, solo che ho sempre fatto finta di non accorgermene.

(Pausa)

Perché ho sempre fatto finta di non accorgermene? (Con commiserazione) Solo tu potresti fare una domanda simile. Una domanda del genere è proprio tipica della tua maniera di vedere le cose, del tuo modo di pensare agli altri, perché te... perché te è sempre in questo modo che hai pensato agli altri, pensando a te stesso. Te stesso come modello del mondo, come centro del mondo. (Pausa) Perché mi dispiaceva, ecco perché. Ma non mi dispiaceva di me, non so se riesci a capirlo, questo forse è troppo per il tuo comprendonio; mi dispiaceva "di lui". Proprio così, mi dispiaceva di lui. Mi faceva pena che lui sorridesse di me, mi faceva pena perché capivo la sua solitudine. Era solo, proprio solo, perché tu non lo capivi, e io, che lo capivo, non gli servivo, perché lui non capiva me. Altrimenti non avrebbe riso sotto i baffi, a sentirmi chiamare Enrichetto. Che era una maniera obliqua di dire "il povero" Enrichetto. Non Enrico, ma "il povero Enrichetto"... poverino, è così ingenuo, così timido, così inadeguato, così sprovveduto verso la vita... non ce la farà mai, ha bisogno di protezione, povero Enrichetto. Poi da grande mi rimase l'Enrichetto e il povero scomparve, ma il concetto era lo stesso. (Pausa) Enrico solo per le occasioni: le presento mio figlio Enrico, oh se è per questo Enrico è bravissimo, io non ci sarò ma conti pure su Enrico. Che bravo, Enrico, sempre disponibile, sempre servizievole, sempre amabile. Povero Enrico.

(Pausa)

Come quando morì la mamma. Vorrei sapere che cosa capisti. Non dico cosa sentisti, perché sarebbe chiederti troppo, no, mi piacerebbe sapere cosa capisti, avanti, confessalo.

(Pausa)

Non dici niente, pusillanime? E allora te lo dico io, cosa capisti. Non capisti un tubo, afferri l'espressione?, non capisti un tubo. Anzi, capisti solo il tubo. Un tubo è facile da capirsi anche da chi non capisce un tubo, e tu prendesti delicatamente il tubo fra l'indice e il pollice e lo capovolgesti con un gesto retorico e inutile, perché tanto che era vuoto lo avrebbe capito anche un macaco. Ma come!, quella sciagurata con gli occhi strabuzzati al soffitto, la "liseuse" scivolata lungo un braccio che sporgeva dal letto e penzolava sul pavimento, e tu che prendi il tubo in mano e lo capovolgi! Ma cosa ti aspettavi che ne uscisse, eh? scemo! (Pausa) Povera mamma. Parole tue, all'occasione, me le ricordo bene, io ho una memoria indelebile; povera mamma. E ti asciugasti una lacrima. Eh già, per te erano tutti "poveri". (Pausa. Urlando.) Scemo!

(Pausa)

Però, guarda, diamoci una calmata. Una calmatina... È una vita che mi do una calmata, non ho fatto altro che darmi calmate, e ora sono calmo, calmissimo... direi addirittura gelido. Più gelido di te, se permetti.

(Pausa)

Non mi hai mai visto gelido? È vero, non mi hai mai visto gelido. Solo calmo. Tu mi conosci calmo. E buono, tanto buono. Il tuo povero Enrichetto era così buono... Ma guarda un po', ho finito col diventare gelido. Gelido e sudato. Sudato dentro, e stanco. Stanchissimo. Non sai il viaggio che ho fatto, per arrivare fin qui. Anzi, lo sai, perché vengo da casa nostra, che è in capo al mondo. Per meglio dire: sei tu che sei in capo al mondo. Mi piacerebbe che fossi tu a dirmi perché sei finito qui, in questa città, fra questa gente, ma non te lo chiedo, parto dal presupposto che hai avuto le tue buone ragioni, perché così ho sempre voluto pensare: che hai avuto le tue buone ragioni.

(Pausa)

Hai avuto le tue buone ragioni? Certo che lei hai avute, ne sono convinto. Almeno dal mio punto di vista hai avuto le tue buone ragioni. Nel senso che io avrei fatto come te, ma non so se tu lo hai fatto per le stesse ragioni per le quali lo avrei fatto io. Questo è il punto. Perché anch'io avrei fatto come te, se solo ne avessi avuto il coraggio. Tu il coraggio l'hai avuto, solo che lo hai fatto per altre ragioni, capisci? Dunque, che coraggio è.

(Pausa)

Eh?

(Pausa. Più alto.)

Eeeeh?

(Pausa)

Nessun coraggio.

(Pausa. Puntandosi un dito sul petto.)

Coraggio è stato il mio.

(Gridando)

Il mio! Capito?!

(Pausa. A voce bassa.)

Certo, coraggio è stato il mio. Un coraggio vigliacco, che vuol dire un grande coraggio davvero.
Uno di quei coraggi... Lui in quelle condizioni,
uno straccio, anzi, una larva, perché sai, il senso di
colpa scava, scava proprio, rode, riduce un uomo
a una larva. Beh, non era solo un morbo mentale,
anche le altre malattie con lui non hanno scherza-
to, negli ultimi anni era un invalido, praticamente,
dovevo fargli tutto io... con l'infermiera... voglio
dire con Mary, perché le cose più delicate le faceva lei, è ovvio, ma io non mi sono mai tirato indietro, mai, dalla mattina alla sera, e guarda, all'alba
era già sveglio e voleva il succo d'arancia, la sera si
addormentava sempre dopo mezzanotte, perché
era agitato, e mi voleva lì, accanto al letto, e se non
c'ero non prendeva sonno. (Pausa) Parlami della
mamma. Tutte le sante sere: parlami della mamma. Ma cosa ti devo ancora dire, papà?, te ne ho
parlato mille volte. Non importa, raccontami della

mamma. E cosa vuoi che ti racconti, stasera. Di quando eravate bambini, di quei tempi, ricordami quei tempi, mi fa bene pensare a quei tempi, mi fa star meglio, e tu hai una memoria perfetta, ti ricordi perfino i dettagli, voglio che tu mi racconti qualcosa... ma senti, voi bambini, allora, eravate felici? Le cose che ti vengono in mente, ma certo che eravamo felici, papà, abbiamo avuto un'infanzia felice, mi ricordo certe vacanze di Natale, per esempio quelle del cinquanta, quando nevicò per quattro giorni di seguito e poi la neve ghiacciò e non si poteva uscire perché era impossibile spalare la neve ghiacciata.

(Pausa. Scuotendo la mano in direzione del fratello.)

Ah, non ti piace che racconti! Troppo comodo. Troppo semplice. Sono venuto anche per questo. O meglio, per questo no, il vero motivo lo saprai dopo, ma in un certo senso sono venuto anche per questo. E dunque mi faciliteresti il compito se tu mi dicessi: racconta, racconta.

(Pausa)

Ma cosa vuoi che ti racconti, papà? Non so... qualcosa... della mamma... dài, racconta, e allora? E allora... beh... allora la mamma, visto che non potevamo uscire, decise che avrebbe fatto delle torte, in frigorifero c'erano solo uova e farina e poi tutte le marmellate che aveva preparato in autunno, come faceva tutti gli autunni, di limone, di prugne, di more, e così per quattro giorni ci nutrimmo a torte, squisite crostate come le faceva la mamma, mattina pranzo e cena, tre torte al giorno, ho ancora il profumo di quelle torte nel naso, mi sembra oggi, papà, e il piacere con cui le mangiavamo! Oh, a sentirlo raccontare mi ricordo il profumo anch'io, mi viene l'acquolina in bocca, e senti, Enrico, tu non credi che fosse infelice, vero? Infelice chi, papà? La mamma, Enrico, mi riferivo alla mamma. Via, senti, papà, non puoi ancora pensare a questo, certe cose non si possono sapere, lei aveva qualcosa, chissà, è stato un momento... un momento così, a volte certe cose succedono e non hanno una sola spiegazione, ci sono delle persone che sono più fragili di altre, è impossibile sapere come succedono certe cose. Ma secondo te, Enrico, era infelice o non era infelice? Forse a suo modo era infelice, papà, ma solo a suo modo, in modo soggettivo, voglio dire, insomma, tu le hai voluto molto bene, mi pare, e ora dormi, per favore. Va bene, buonanotte, Enrico, ma non andare via finché non mi sono addormentato... Enrico!!! Che c'è ancora, papà? E se lo avesse fatto per quel denaro, Enrico? Che denaro, papà? Quella cosa che successe una volta, Enrico, lo sai benissimo, quella cosa che non fu mai chiarita e che ci andai di mezzo io, anche se non poterono incriminarmi, ma il sospetto restò. Non vedo come la mamma avrebbe potuto volertene, papà. Non so, Enrico, avrebbe potuto avvilirsi, essere amareggiata, sentire una delusione, una delusione nei miei confronti, voglio dire. Non credo, papà, non si perde la fiducia in una persona che si stima per una cosa di questo genere.

(Pausa. Al fratello.)

Capisci?

(Pausa)

Capisci o non capisci, caprone?

(Pausa)

Questo non lo capisci, voglio dire, non puoi capire quelle sere. Quelle notti. E io lì, inchiodato: sì papà, no papà, non ti affliggere papà. Ma il resto lo capisci, salame ingessato?

(Si sente bussare alla porta. Si affaccia la suora.)

SUORA
Mi scusi, non vorrei disturbare il suo raccoglimento, forse vuole pregare ancora.

LUI
Infatti... veramente...

SUORA
La camera ardente è stata allestita. È giù in cappella. Se non ha niente in contrario direi agli addetti di trasportare la salma da basso per procedere alla vestizione.

LUI
Fra qualche minuto, se non le spiace, sorella, vorrei terminare le mie preghiere.

(Chiude la porta)

Pare che non ci sia molto tempo. Purtroppo nella vita non c'è mai molto tempo. Voglio dire: sembra che ci sia un sacco di tempo, ma poi, in realtà, non c'è mai molto tempo.

(Pausa)

Il tempo stringe, mio caro.

(Pausa)

Lo senti, come il tempo stringe?

(Pausa)

Io lo sento. Mi fa l'effetto di una cintura, di qualcosa che mi preme qui, sul petto, una cosa come

61

tutte le fasce che ti avvolgono. Anche quelle, che ti stringono come un bel salamone, sono il tempo. Il tempo che stringe.

(Pausa)

Beh, ognuno a suo modo. Tu hai trovato questa forma del tempo che ti stringe, io ho trovato la mia. La tua, te la devi essere proprio andata a cercare. Ma cosa ti è successo? Hai avuto un incidente di macchina? Te lo chiedo perché sembri proprio vittima di un incidente di macchina. Andavi fortino, sulla tua bella decappottabile, del resto fa un tempo magnifico in questo posto del cavolo, dev'essere per questo motivo che ci sei venuto ad abitare, dicevo, andavi un po' troppo forte, su questo bel viale alberato che porta al mare, attraversavi le chiazze d'ombra e di sole degli alberi con la tua bella decappottabile, felice, felicissimo, tempo magnifico, avevi bevuto anche un paio di aperitivi, no?, fa parte della scena, che bella la vita, in fondo, bip bip, ogni tanto col clacson per dire al pedone incauto: occhio, pedone, passo io, con la mia bella decappottabile. Solo che magari c'è un altro che sta pensando esattamente la stessa cosa ma che arriva dal viale traverso, e che niente niente quello guida un autobus: bop bop, ogni tanto col clacson per dire al pedone incauto: occhio, pedone, che passo io, col mio bell'autobus. E patatràcchete, fine della corsa.

(Pausa)

E mentre tu finisci la tua corsa, io finisco la mia. Arrivando da capo al mondo. Per cercarti. Per vederti. Per sentirti. E tu sei qui, ridotto a un salame.

(Pausa)

Non potevi aspettare domani?

(Pausa)

Sai, sarebbe bastato un giorno. Anche meno, qualche ora, davvero. Ti prego, qualche ora... qualche minuto.

(Si fruga in tasca. Ne estrae una lettera spiegazzata. La apre con aria trionfale.)

Guarda! Guarda cosa ho trovato! Ti ho portato questa!

(Con voce maliziosa)

Lo sai di chi è? Avanti, lo sai? Ma certo che lo sai, lo sai benissimo. È della nostra cara mamma.

(Pausa)

Poverina.

(Pausa)

E sai a cosa si riferisce? Lo sai, vero? Ma io non te

la leggo mica, eh no. Non te la leggo proprio. Mi spiace, ma questa soddisfazione non te la do. Sì, perché è una lettera che parla di soldi, è poco elegante leggere una lettera che parla di soldi. Parla di tutti quei soldini che segnarono il disastro di papà.

(Pausa)

Povero babbo.

(Pausa)

Dunque è inutile che te la legga, perché tu questa storia, tutta questa bella storia, la conosci molto meglio di me, fin nei più piccoli dettagli. Tu e la povera mamma. Poverina. Dunque, cosa te la leggo a fare? Te l'ho portata solo per dirti che ce l'ho. Che lo so. Che l'ho trovata. Te l'ho portata per questo, mica per leggertela. Intanto, anche perché tu potresti fare obiezioni, le intuisco le tue obiezioni, tu sei così bravo a fare obiezioni. E poi è talmente facile correggere il passato, quando non lo si può provare. E per te, in fondo, sarebbe facile correggere il passato. Potresti dire: guarda che le firme non le feci io, le fece la mamma di suo pugno. Sì, tanto chi è che ti potrebbe smentire, ormai? La povera mamma, forse? Ma io non permetto che tu me lo dica, non te la lascio fare un'obiezione del genere. Oppure, potresti dire: ma dài, Enrichetto...

(Pausa)

Non mi chiamare Enrichetto!

(Pausa)

...potresti dire: ma dài, Enrico, io a quell'epoca avevo vent'anni, cosa vuoi che capissi, come vuoi che me ne rendessi conto?

(Pausa)

Ah, carino! Sì, perché secondo te a vent'anni non ci si rende conto di una cosa come questa? Vuoi invocare la tua giovane età, una certa innocenza, una certa... come dire... spensieratezza? Arrivi perfino a questo. Perché, forse che dopo ti è venuto, il senso di responsabilità? Come no! Basta vederti, che bel senso di responsabilità ti è venuto a quarantacinque anni, quello di finire sotto un camion a cento all'ora con la tua bella decappottabile sul viale a mare di questa città da cretini! Un autobus?, hai detto un autobus? E va bene, pardon, un autobus, che differenza fa?

(Pausa)

Che differenza fa, a questo punto. Ora che io ero venuto e tutto sarebbe stato chiaro.

(Pausa)

Ho fatto tutti questi chilometri per arrivare fin qui.

(Pausa)

Casa nostra è proprio lontana, non so se te ne rendi conto.

(Pausa)

E poi pensa al sacrificio di una persona come me, che la sua casa non l'ha mai lasciata.

(Pausa)

Beh, te... per te è un'altra cosa, sempre qua e là, sempre a fare il vagabondo, tanto tu potevi permettertelo, il vagabondo di lusso. Ma io no. Io no, sempre inchiodato a casa.

(Pausa)

Sì, è praticamente la stessa casa, tale e quale, anche se ho fatto qualche piccola modifica. Ma mi fa piacere che tu me lo chieda, vuol dire che non ti è del tutto indifferente.

(Pausa)

Certo, come potrebbe esserti indifferente? Anche tu ci hai vissuto per tutti quegli anni. Non sono mica uno scherzo, tutti quegli anni. Non sono stati uno scherzo per nessuno. Eppure ci furono anni che ci parevano proprio uno scherzo, non sarei giusto. Ti ricordi le risate? E lo scherzo... Quale scherzo? (Con aria allarmata) Non so di quale scherzo vuoi parlare, lasciamo perdere gli scherzi, proprio tu mi vieni a parlare di scherzi? (Dandosi un colpo in fronte) Ma certo! Lo scherzo a Mademoiselle Yvette, quella bacchettona della Mademoiselle Yvette! E vuoi che non me lo ricordi?! Fu per via del gatto, vero? Oddìo, che risate! La mamma ci punì entrambi, senza dolci per una settimana.

(Pausa)

La mamma faceva troppi dolci, non ti pare? Ha passato la vita a fare dolci, secondo te cosa significa?, voglio dire in termini psicologici, avrà pure un significato. Una compensazione non era, perché poi non li mangiava, si limitava a farli. Beh, se non altro abbiamo avuto un'infanzia dolce, è già qualcosa.

(Pausa)

Comunque, lasciamo perdere i dolci, e gli scherzi alla Mademoiselle Yvette. Io ho detto solo che non sono mica uno scherzo, tutti quegli anni. Non sono stati uno scherzo per nessuno. Neanche per te, lo riconosco, qualche ricordo ti sarà pure restato.

(Pausa)

Ho detto ricordo, non rimorso. Non ho parlato di

rimorsi. E comunque mi fa piacere che tu ti sia ricordato della casa. Non ho fatto granché, come modifiche. Ho cambiato alcune porte del pianterreno, le ho fatte di abete chiaro, trovo che il legno chiaro fa allegria, a me piace il legno chiaro. E poi ho rifatto il bagno sotto le scale. L'ho fatto moderno, con piastrelle disegnate e rubinetteria bianca con i pomelli rossi. È proprio allegro.

(Pausa)

Ma non sono venuto fin qui a parlare della casa, come puoi bene immaginare, non ho fatto tutti questi chilometri per parlarti di rubinetti. (Tira fuori di nuovo la lettera) Sono venuto qui per parlare di un'altra cosa, ma questa lettera non te la leggo. Non te la leggo perché non dice niente. (Urlando) È una lettera cretina! È la lettera di una cretina! (Con voce spenta e definitiva) E non dice proprio niente, un bel niente di niente. Ma una cosa è sicura: lei non fece nessuna firma. E allora ci sono solo due soluzioni.

(Pausa. Con un bisbiglio.)

O sei stato tu...

(Pausa)

...o sono stato io.

(Pausa. Scandendo bene le parole.)

O sei stato tu, oppure sono stato io. Non ti scandalizzare, non mi pare proprio il caso. Ah, sei soltanto sorpreso? Bene, mi fa quasi piacere che tu sia sorpreso una volta tanto in vita tua. Non credevi che avrebbe potuto essere stato il povero Enrichetto!

(Pausa)

E non mi chiamare Enrichetto!

(Si sente bussare alla porta. Si affaccia la suora accompagnata da un infermiere che spinge un lettino con le ruote.)

SUORA
I funzionari delle pompe funebri stanno aspettando in cappella. Portiamo via la salma.

UOMO (Tenendo la porta affinché i due non entrino)
Ancora pochi minuti, per favore.

SUORA
Ma i funzionari hanno fretta...

UOMO
Solo pochi minuti.

SUORA

C'è un piccolo problema... Il vestito di suo fratello è inutilizzabile, date le condizioni in cui è arrivato qui. I funzionari domandano se possono vestirlo con un vestito dell'agenzia. (In tono esplicativo) L'agenzia funebre fornisce anche vestiti.

UOMO

No, un vestito standard non lo voglio! (Pausa) Gli darò il mio. (Si palpa tutto il corpo) Questo che ho addosso... tanto ne ho un altro in valigia. (Si ripara dietro la porta e comincia a spogliarsi) Non posso fargli indossare quello che ho in valigia, è un vestito che per un'occasione come questa... è un vestito inverosimile, direi, me lo ero comprato per questa città di mare, è un vestito che dà sul giallo. Dovrei forse fargli indossare un vestito che dà sul giallo? (Ora è in camicia, mutande, scarpe e calzini lunghi. Mostrando il vestito attraverso la fessura della porta.) Questo le sembra adatto?

SUORA

Credo di sì.

UOMO (Porgendo il vestito alla suora)

Allora voglio che gli sia messo il mio vestito. E poi... e poi siamo esattamente della stessa taglia. (Chiude la porta. Pausa. Rivolto al fratello.) E va bene, non ti piace! Ma cosa volevi, un vestito dai colori sgargianti, per un'occasione come questa? E poi guarda, l'agenzia ti avrebbe dato un vestito anche peggiore, uno di quegli orribili vestiti standard di fibre sintetiche che probabilmente si ritirano con l'umidità, così dopodomani, là sotto, ti ritrovavi con i pantaloni al ginocchio e le maniche della giacca al gomito.

(Pausa)

Immagina che carino.

(Pausa)

L'eternità in shorts.

(Pausa)

Hai visto bene il vestito che ti ho dato? Non so se l'hai riconosciuto e se niente niente è per quello che non ti è piaciuto. Ma certo che è per quello. Fu il vestito di una certa... "occasione"... ricordi? Bene, mi rendo conto che possa non piacerti, ma anche se non ti piace lo indossi lo stesso.

(Pausa)

E poi è pur sempre un vestito di famiglia.

(Pausa)

Sai?, ho scritto delle poesie. Mi piacerebbe legger-

ti qualcosa, attraverso la poesia si riescono a comunicare certe cose che le parole normali non di-
cono, è risaputo. È questa la forza della poesia.
Ma prima vorrei specificare una cosa. Una cosa
che deve restare bene intesa, visto che le ipotesi
sono due, come ti ho già detto: o sei stato tu... oppure sono stato io. Se sei stato tu, io ti perdono.

(Pausa)

Vorrei... Insomma, vorrei che anche tu facessi lo
stesso. (Con tono precipitoso) Ma non devi dirlo
subito, hai ancora qualche minuto per pensarci,
riflettici pure.

(Pausa. Tira fuori di tasca dei fogli. Comincia a
leggere.)

Il titolo è: canto orfico. No, anzi, non mi piace.
Orfico nel senso di Orfeo, ma non mi piace, mi
pare troppo retorico. Direi di cambiare il titolo
con: sera di compleanno. Che ne dici?, mi sembra
una cosa più intima, non ti pare?, credo di preferi-
re una cosa più intima. Deciso: sera di compleanno. Attenzione, si parte.

(Pausa. Col tono ispirato di chi declama una poesia.)

Sotto il portico della vecchia casa,
in compagnia di tutte le mie ombre.

Falene notturne, tintinnano i bicchieri, qualcuno
dice:
è arrivato un telegramma. Solo futuro
è il verde muco della solitudine.
Trema la vecchia casa, anche lei sente
le penose assenze che sono presenti. Il fido servo,
intanto, passa col vassoio.
Il padre è diventato allegro, lo sa
di essere amato, alza il bicchiere,
auguri, bella donna felice!, auguri,
giovani vite!, auguri anche a te vecchio servo,
e per te, mandorlo, che ci dài il profumo e l'ombra
e i frutti alla fine dell'estate.
E la madre, come sorride,
sembra tornata una giovinetta. Camelie
e sorrisi fragili, ma non importa: è una festa.
E i bambini... che belli, i bambini,
già si capisce come cresceranno:
uno è forte, sicuro, avventuroso,
e questo è timido, in futuro vigliacco. Ma il futuro
è solo futuro, e semmai conterà sul fratello.
Vieni, notte di settembre,
stringici tutti assieme in un abbraccio,
in questo abbraccio di equinozio
che batte, ritorna, scandisce,
fa gonfiare le maree, e con esse
i cuori dei commensali assenti.
Oh, serene forze del papavero

e biancospino, aiutatemi. Solo nel vostro sonno
non sognerò questa tavola d'ombra che mi strugge.
Gli oggetti, immobili, che spiano,
cercando anch'essi una sostanza.
Vogliono comunicarsi, si sente, sciogliersi
con la carne, col sangue:
formare, in questo loro esserci,
l'idea della vita che fluisce.
Come una linfa, fluisce, e nutre
sembianze che fingono di ridere.
E Marta, la buona Marta che ride, anche lei...
contenta di essere mia moglie.
Come poi non lo sarà. Perché tutto poi ha un altro
                                                    corso:
furori, sciocchezze e lacrime
portano altrove la vita.
Eppure è un compleanno, e come tale
merita d'essere festeggiato. Auguri per te,
madre, che non sei stata felice, auguri per te,
padre consumato da rimorsi
che non ti competono. E auguri
a tutti gli assenti: servi, ragni e seggiole:
non bisogna girarsi indietro,
se la musica di Orfeo fa difetto.

(Pausa)

Ecco, è finita.

(Pausa)

Non dici niente?

(Si allontana dal letto. Indietreggia fino ad accostarsi alla parete opposta. A questo punto si sente un lamento. Prima è un sibilo, e poi diventa un guaito molto acuto, e infine un ululato lancinante che proviene dalla parte della stanza in cui si trova il letto. Allorché il grido è più acuto e intollerabile, uno dei pesi a cui è attaccata una gamba del cadavere crolla sul letto e il busto si muove sollevandosi come per un effetto meccanico. La porta si apre e entra la suora guardandosi intorno con aria esterrefatta)

UOMO (Indicando il fratello)
Lui... mio fratello! Lui!...

SUORA
Si calmi, la prego, non gridi. (Precipitandosi al capezzale del letto e ricomponendo la salma) Questa macchina è difettosa, cadono sempre i pesi. Si sente male? (L'uomo si abbraccia come se avesse freddo) Ha freddo? (L'uomo fa cenno di no con la testa) Lei sta male. Si faccia forza, la prego, ora le farò portare un calmante. Ma intanto prenda il suo vestito dalla valigia e si rivesta, ora vestiremo anche suo fratello, gli addetti aspettano in cappella, si è fatto tardi.

INDICE

Stampa Grafica Sipiel
Milano, febbraio 1993